Olivier AUBERT

GIVERNY

D1056856

Editions Coline Julien
21, avenue Gambetta. BP 509. 27205 Vernon cedex

Visite guidée du village

A guided tour of Giverny

Vers la maison et les jardins Monet

Towards the house and the gardens

Le point de départ de votre visite du village se situe en haut du parking principal (propriété du Musée d'Art Américain). En sortant du parking, vous êtes dans la rue Claude Monet.

Deux possibilités s'offrent à vous, partir sur votre droite en direction de la maison et des jardins de Claude Monet ou partir sur votre gauche en direction de l'ancien hôtel Baudy et de l'église (tombe de Claude Monet).

Pour l'heure, nous tournons à droite en sortant du parking.

Musée d'art américain Giverny

99, rue Claude Monet
Devant vous, sur le côté gauche de la rue, le Musée d'Art Américain Giverny. Son jardin est en accès libre et à l'intérieur des salles, vous découvrirez une exposition permanente, *Giverny au temps de Monet et des artistes américains*, et des expositions temporaires consacrées à l'art américain de 1750 à nos jours.
Une large place est réservée aux peintres impressionnistes américains qui séjournèrent à Giverny entre 1887 et 1939. Créée par l'ambassadeur Daniel J. Terra, *la Terra foundation for the Arts* a pour mission de faire connaître leurs oeuvres et

The departure point of the village tour is at the top end of the main parking area, (which belongs to the Musée d'Art Américain). When you leave the parking lot, you are in Rue Claude Monet. You then have the choice between turning right in the direction of the house and gardens of Claude Monet or turning left in the direction of the former hotel Baudy and the church (in which Monet's tomb is to be found).

Musée d'Art Américain Giverny

99 Rue Claude Monet
The Musée d'Art Américain Giverny. The garden is open without charge to the public. In the museum galleries, you can discover a permanent exhibition *on Giverny in the time of Monet and the American artists* as well as temporary exhibitions devoted to American art from 1750 to the present day.

l'art américain au grand public. C'est pourquoi, depuis l'inauguration du musée en 1992, Giverny accueille des expositions majeures appréciées par les amateurs d'art.

Galerie Claude Cambour

101, rue Claude Monet
Peintre impressionniste, Claude Cambour ouvre sa porte aux personnes intéressées par son travail visible en vitrine à l'angle de la rue.

Le Hameau

82, rue Claude Monet
A droite de la rue se trouve Le Hameau que les Givernois nomment également la maison Perry en référence à Lilla Cabot Perry qui en fut la propriétaire. Cette maison, propriété de la Terra Foundation for American Art, accueille aujourd'hui des séminaires, des artistes américains et français invités à travailler dans ce cadre exceptionnel où

vécurent également Théodore Robinson, Dawson Dawson-Watson, Frederick Carl Frieseke sans oublier Mary Wheeler et ses élèves de la Miss Wheeler's School de Rhode Island.

Atelier Hans

107, rue Claude Monet
Sur votre gauche en vous dirigeant vers la maison Monet, vous pouvez rencontrer Hans, peintre impressionniste, qui vous accueille personnellement du mardi au dimanche.

L'ancienne ferme

109, rue Claude Monet
Grâce à la générosité des membres de la Fondation Claude Monet, au Reader Digest et à la Lila Wallace-Reader Digest Fund, cette ancienne ferme a été entièrement restaurée.
Le corps de ferme a été transformé en bureaux et appartements de fonction, lieux d'accueil des artistes invités par la fondation.

A large space is reserved for the American impressionists who stayed in Giverny between 1887 and 1939.
Founded by ambassador Daniel J. Terra, the mission of *the Terra Foundation for American Art* is to make its collection and American art in general better known to an international public. With this aim in mind, the museum has, since its opening in 1992, presented numerous major exhibitions much appreciated by art lovers.

Claude Cambour

101 Rue Claude Monet
Claude Cambour, an impressionist artist whose paintings can be seen in his gallery windows, welcomes visitors interested in his work.

The Hamlet

82 Rue Claude Monet
The Hamlet was also called " Perry House " after Lilla Cabot Perry who was once its owner. The house, now owned by the Terra Foundation for American

Art, is used for seminars by American and European artists and art historians invited to work in this exceptional historical environment once home to Theodore Robinson, Dawson Dawson-Watson, Frederick Carl Frieseke not forgetting, of course, Mary Wheeler and her students from Miss Wheeler's School in Rhode Island.

Hans

107 Rue Claude Monet
Impressionist painter, Hans invites you to see his work from Monday through to Sunday.

The Old Farmhouse

109 Rue Claude Monet
Thanks to the generosity of the Claude Monet Foundation, the Readers Digest and the Lila Wallace-Readers Digest Fund, the old farmhouse has been completely restored. The farm building has been converted into offices and apartments for artists invited by the foundation.

Boutique Emilio Robba et restaurant Les Nymphéas

109 bis, rue Claude Monet

Les bâtiments annexes de la ferme accueillent une boutique où l'on trouve des fleurs d'illusion signées Emilio Robba, des graines, des plantes, des nappes et des objets de décoration intérieure en lien direct avec la maison et les jardins de Claude Monet. En prolongement de la boutique, le restaurant Les Nymphéas offre un cadre 1900 et une vue agréable sur un petit jardin en bordure de la rue.

Maison et jardins Claude Monet

84 rue Claude Monet

La maison et les jardins de Claude Monet. Point d'orgue de votre visite à Giverny, ce lieu unique a été reconstitué grâce au travail exceptionnel de M. et Mme Gérald Van der Kemp et à la générosité des donateurs de la Fondation Claude Monet.

Atelier Danièle Thierry

121 bis rue Claude Monet

Danièle Thierry, peintre acrylique, vous accueille dans sa galerie du mardi au dimanche de 14h à 18h.

La Musardière

123 rue Claude Monet

La Musardière, le seul hôtel-restaurant de Giverny a conservé son ambiance d'antan et sert toujours des menus de cuisine traditionnelle et de délicieuses crêpes.

Les Nymphéas et Emilio Robba

109 bis Rue Claude Monet

A boutique next door to the farm house offers Emilio Robba's "fleurs d'illusion" or illusionary flowers, seeds, plants, tablecloths and decorative objects linked to the house and gardens of Claude Monet. The boutique extends into the restaurant, Les Nymphéas, which provides a 1900s atmosphere and a pleasant view over the small roadside garden.

House and gardens of Claude Monet

84 Rue Claude Monet

The house and gardens of Claude Monet. High point of your visit to Giverny, the unique site was restored thanks to the exceptional work of Mr and Mrs Gérald Van der Kemp and the generosity of the Monet Foundation donors.

Danièle Thierry

121 bis Rue Claude Monet

Danièle Thierry paints in acrylics and invites you to visit her gallery from Tuesday through to Sunday from 2pm to 6pm.

La Musardière

123 Rue Claude Monet

La Musardière, the only hotel in Giverny, has preserved its old-world atmosphere and continues to serve traditional meals and delicious "crêpes", (French pancakes).

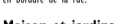

Sur votre gauche en sortant du parking, vous allez retrouver l'ambiance givernoise à l'époque de Monet. Moins de cinq cents mètres vous séparent de l'église où se trouve la tombe de Claude Monet.

Ancien café "Au bon maréchal"

1, rue du Colombier

A l'angle de la rue Claude Monet et de la rue du Colombier, Au bon Maréchal. N'allez pas y voir une allusion à l'un des maréchaux de France mais simplement à M. Tellier, le maréchal-ferrant du village. Cette maison de caractère fut longtemps un café puis se transforma dans les années 20 en un hôtel-restaurant fréquenté par des artistes-peintres, dont Louis Ritman et les modèles Gaby et Fonchon.

Maison Cannet

5, rue du Colombier

A travers le feuillage de la haie, vous apercevez la maison du peintre américain Théodore Butler qui épousa Suzanne puis Marthe Hoschedé, les deux filles de Alice, la seconde femme de Claude Monet.

Maison Rose

7, rue du Colombier

La Maison rose doit son nom à la couleur de son crépi. Elle fut l'adresse de la danseuse Isadoran Duncan et les artistes peintres William Howard Hart et Vaclav Radimsky. Le jardin de la Maison rose fut également un lieu d'inspiration pour Blanche Hoschedé-Monet, la belle-fille de Claude Monet, qui y réalisa plusieurs toiles.

Ces deux propriétés, comme les deux maisons voisines, ont été acquises par la Terra Foundation for American Art afin de conserver intact le témoignage de cette richesse culturelle. Chaque été, la fondation Terra y accueille des jeunes artistes européens et américains le temps d'une université encadrée par des professeurs de renom.

«Le Cortège Nuptial»

Chemin Blanche Hoschedé-Monet

Retour en haut de la rue du Colombier pour traverser la rue Claude Monet et retrouver le décor du tableau de Théodore Robinson *Le cortège nuptial*. Juste avant la mairie-école du village, sur votre droite, l'ancienne maison de Mme Baudy où habitèrent un temps les peintres Radimsky et Collins.

On your left on leaving the parking lot, you will discover the ambience of Giverny in Monet's time. Less than five hundred yards separate you from the church graveyard in which Monet is buried.

Au Bon Maréchal > *1 Rue du Colombier*

On the corner of Rue Claude Monet and Rue du Colombier, we find Au Bon Maréchal. This is not an allusion to one of the Marshals of France but simply refers to Mr Tellier, the village blacksmith. The house, once a café, was transformed in the 1920s into a hotel-restaurant patronized by artists such as Louis Ritman and models Gaby and Fonchon.

Maison Canet

5 Rue du Colombier

Through the foliage of the hedge you can glimpse the house of the American painter, Theodore Butler, who married Suzanne and then Marthe Hoschedé, the two daughters of Alice, second wife of Claude Monet.

Maison Rose

7 Rue du Colombier

The Maison Rose or "pink house" owes its name to the color of the external render. It was the home of dancer Isadora Duncan and of the artists William Howard Hart and Vaclav Radimsky. The garden also served as inspiration for Blanche Hoschedé-Monet, the step-daughter of Claude Monet, who portrayed it in several of her paintings. These two properties, as well as the two houses next door, were acquired by the Terra Foundation for American Art with the aim of protecting their rich cultural heritage. Every summer, the Terra foundation hosts a residency for young European and American artists and art historians who are mentored by distinguished international scholars.

Le 20 juillet 1892, l'artiste peintre américain Théodore Earl Butler épousait Suzanne Hoschedé, la belle-fille de Claude Monet. Cet événement givernois a été immortalisé par Théodore Robinson, un proche de Butler, qui a choisi de planter son chevalet entre la mairie et l'église, (devant l'actuel 3 chemin Blanche Hoschedé-Monet) pour saisir cet instant après avoir travaillé le décor.

Selon le témoignage de Robinson lui-même, les personnages de son tableau sont au premier plan Monet conduisant la mariée et en arrière plan, Mme Monet au bras du marié. La demoiselle d'honneur figure la famille et les amis qui furent nombreux à participer à cette journée. Ce mariage et *Le cortège nuptial* (1892. Terra Foundation for the Arts) sont devenus les symboles des liens qui ont fini par unir les deux communautés se retrouvant à l'hôtel Baudy comme en témoigne l'exposition permanente visible au Musée d'art américain de Giverny.

Le cortège nuptial

The Wedding Procession

On July 20, 1892, the American painter Theodore Earl Butler married Suzanne Hoschedé, the step-daughter of Claude Monet.

This event was immortalized by Theodore Robinson, a close friend of Butler's, who decided to install his easel between the mayor's office and the church, (in front of what is now 3 Chemin Blanche Hoschedé-Monet) to capture the instant having already worked on the setting.

According to the account of Robinson himself, the characters in the painting are Monet and the bride in the foreground followed by Mme Monet on the grooms arm in the background. Behind them, the bridesmaids, family and numerous friends form part of the celebration.

This marriage and the painting *The Wedding Procession* (1892. Terra Foundation for American Art) have become symbols of the link uniting these two communities who so often gathered at the hotel Baudy as you can see in the permanent exhibition at the Musée d'Art Américain Giverny.

Galerie Christophe Démarez

62, rue Claude Monet
L'expression artistique de Christophe Démarez lui vaut d'être reconnu par les amateurs d'art et les collectionneurs. La galerie est ouverte du mardi au dimanche.

Ancien hôtel Baudy

81, rue Claude Monet
L'ancien hôtel Baudy est le troisième haut lieu de Giverny.
C'est ici que les artistes impressionnistes américains se sont installés à la fin du XIXème siècle. L'établissement tenu par Angélina et Lucien Baudy devint le point de rencontre entre le cercle familial et amical de Claude Monet et le groupe de jeunes artistes américains. De nombreuses toiles furent peintes à l'hôtel Baudy par Théodore Robinson, Théodore Wendel, Vaclav Radimsky, Dawson Dawson-Watson, John Leslie Breck, Lilla Cabot Perry. Le lieu était également fréquenté Mary Cassat, Paul Cézanne, Auguste Renoir, Alfred Sisley et Rodin.

La petite Galerie

81, rue Claude Monet
Dans le prolongement de l'hôtel Baudy se trouve La petite galerie de l'ancien hôtel Baudy. Alain Brieu, spécialiste bronze, y présente des artistes contemporains : peintres, photographes, sculpteurs et graveurs. Ouvert de 12h à 19h et sur rendez-vous.

L'atelier de Boispréau

69, rue Claude Monet
Dans la cave voûtée de cette maison ancienne, Corinne Gelebert présente ses peintures sur bois, paravents, panneaux décoratifs et décors pour meubles, objets et murs. Ouvert les samedis et dimanches de 13h30 à 18h.

The Wedding Procession

Chemin Blanche Hoschedé-Monet
Return to the top of the Rue du Colombier and cross Rue Claude Monet to find the setting of Theodore Robinson's painting, The Wedding Procession. On your right, just before the mayor's office and village school, you can see the former house of Mrs Baudy where the painters Radimsky and Collins lived for a time.

Christophe Démarez

62 Rue Claude Monet
Galerie Démarez. The artistic talent of Christophe Démarez has brought him recognition amongst art lovers and collectors. The gallery is open from Tuesdays to Sundays.

Former Hotel Baudy

81 Rue Claude Monet
The former hotel Baudy is the third high point of a visit to Giverny. It was here that the American impressionists set up their home at the end of the 19th century. The hotel, run by Angélina and Lucien Baudy, became the meeting point for the family and friends of Claude Monet and the group of young American artists. Numerous canvasses were painted at the hotel Baudy including those of Théodore Robinson, Théodore Wendel, Vaclav Radimsky, Dawson Dawson-Watson, John Leslie Breck and Lilla Cabot Perry. The hotel was also patronized by Mary Cassatt, Paul Cézanne, Auguste Renoir, Alfred Sisley and Rodin.

La Petite Galerie

81 Rue Claude Monet
An extension to the hotel Baudy houses "the Little Gallery of the Former Hotel Baudy". Alain Brieu, specialist in bronze, presents contemporary artists: painters, photographers, sculptors and engravers. It is open from midday to 7pm and by appointment.

L'atelier de Boispréau

69 Rue Claude Monet
In the vaulted cellar of this historic home, Corinne Gelebert exibits her pain-

Le coin des artistes

65, rue Claude Monet

Cet ancien bar-épicerie a su conserver l'esprit givernois et accueille aujourd'hui une salle d'exposition où l'on découvre des artistes souhaitant présenter leur travail au grand public. Entrée libre.

L'église et la tombe de Monet

53, rue Claude Monet

Mercredi 8 décembre 1926, en fin de matinée, Claude Monet était inhumé dans le petit cimetière de Giverny en présence de sa famille, des artistes givernois, français et étrangers, de plusieurs personnalités dont son vieil ami Georges Clemenceau.

La tombe du maître de l'impressionnisme se trouve sur votre droite en entrant dans le cimetière. Lieu de repos, le cimetière doit être visité en silence et dans le respect des défunts, célèbres ou non.

Après avoir franchi la grille d'entrée, montez les quelques marches sur votre droite.

1ère tombe - Famille Van der Kemp

La première tombe est celle de M. Gérald Van der Kemp à qui l'on doit la restauration du château de Versailles et des Trianons et plus près de nous, la restauration et la valorisation de la maison et des jardins de Claude Monet.

2ème tombe - Tombe Hoschedé

Jean-Pierre Hoschedé (1877-1961) était le sixième et dernier enfant de Alice Hoschedé. Tout laisse à penser qu'il était le fils de Claude Monet. Il repose aux côtés de son épouse Geneviève née Costadau (1874-1957).

tings on wood, screens, decorative panels as well as adornments for furniture, objects and walls. Open on Saturdays and Sundays from 1.30pm to 6pm.

Le Coin des Artistes

65 Rue Claude Monet

This former bar and grocery store has managed to preserve the Giverny spirit and today houses an exhibition room in which we discover artists wishing to show their works to the public. Entrance is free of charge.

The Church and tomb of Claude Monet

57 Rue Claude Monet

On Wednesday, December 8, 1926, towards the end of the morning, Claude Monet was buried in the small cemetery of Giverny. Present were his family, the Giverny artists both French and foreign and several notables amongst whom was his old friend, Georges Clemenceau.

The grave of the master of impressionism can be found on your right as you enter the cemetery. A resting place for the dead, the cemetery should be visited in silence as a sign of respect for the deceased, famous or not.

Having entered through the small gate, go up the steps to your right.

Gérald Van der Kemp:

The first grave is that of this great man to whom we owe the restoration of the Château of Versailles and the Trianons, and close by, the house and gardens of Claude Monet.

Hoschedé grave

Jean-Pierre Hoschedé (1877-1961) was the sixth and last child of Alice Hoschedé. Everything leads one to believe

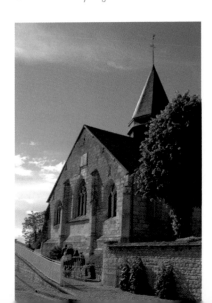

3ème tombe - Famille Salerou

Dans ce caveau familial repose Germaine Hoschedé, cinquième enfant de Alice et épouse de Albert Salerou avec qui elle eut deux enfants : Simone (12 enfants) et Nitia (dont la tombe se trouve sur le côté gauche du chemin).

4ème tombe - Famille Monet

Dominée par une imposante croix blanche, la tombe de la famille Monet. Ici reposent Claude Monet (1840-1926) et sa seconde épouse, Alice (1844-1911).
A leurs côtés, les deux fils de Monet, Jean (1867-1914) et Michel (1878-1966) et leurs épouses respectives Blanche Hoschedé-Monet (1865-1947) et Gabrielle Bonaventure (1890-1964). Aucun des enfants de Claude Monet n'a eu de descendance.

5ème tombe - Famille Butler

En 1892, l'artiste peintre américain Théodore Earl Butler (1861-1936) épousa Suzanne, la troisième fille de Alice Hoschedé (1868-1899). A la mort de Suzanne, Théodore Butler fit appel à l'ainée des filles Hoschedé, Marthe (1864-1925) pour l'aider à élever ses deux enfants, James et Alice surnommée Lily (1894-1949). Un an plus tard, Théodore et Marthe se mariaient mais n'eurent jamais d'enfant.
Dans le même caveau repose Cécile Brunner (1979-1996), décédée brutalement lors d'un voyage scolaire. Sa disparition a été un choc pour tous les Givernois. Bien que n'ayant aucun lien de parenté avec les artistes, Cécile repose ici par la volonté des descendants de Théodore Butler, car en plus de ses qualités humaines elle était une talentueuse artiste de théâtre.

that he was in fact the son of Claude Monet. He is laid to rest next to his wife Geneviève Costadau (1874-1957).

Salerou family

In this family vault lie Germaine Hoschedé, fifth child of Alice and the wife of Albert Salerou with whom she had two children: Simone (12 children) and Nitia (whose grave is to be found on the left side of the path).

Monet family

Dominated by its imposing white cross is the grave of the Monet family. Here lie Claude Monet (1840-1926) and his second wife, Alice (1844-1911).
Beside them are Monet's two sons, Jean (1867-1914) and Michel (1878-1966) and their respective spouses Blanche Hoschedé- Monet (1865-1947) and Gabrielle Bonaventure (1890-1964). Neither of Monet's children had descendants.

Butler family

In 1892, the American artist, Theodore Earl Butler (1861-1936) married Suzanne, the third daughter of Alice Hoschedé (1868-1899). On Suzanne's death, Theodore Butler asked the eldest Hoschedé daughter, Marthe (1864-1925) to help him bring up his two children, James and Alice, known as Lily (1894-1949).
One year later, Theodore and Marthe were married but they never had children.
In the same vault lies Cécile Brunner (1979-1996) who died suddenly during a school trip. Her death shocked all of Giverny. Though she is not related to the artists, Cécile lies amongst them according to the wishes of the descendants of Theordore Butler for, in addition to her human qualities, she was a talented theatrical artist.

Les jardins de Claude Monet
The Gardens of Claude Monet

La propriété de Claude Monet à été léguée par son fils Michel (1878-1966) à l'Académie des Beaux-Arts. Après d'importants travaux de restauration conduits par M. Gérald Van der Kemp, la propriété a ouvert ses portes au public en juin 1980.

The Monet property was bequeathed by Claude Monet's son Michel (1878-1966) to the Académie des Beaux-Arts. After important restoration works lead by Mr Gérald Van der Kemp, the property opened its doors to the public in June 1980.

1 - L'atelier des Nymphéas

Vous accédez aux jardins après avoir traversé la boutique de la Fondation qui se trouve dans l'atelier des Nymphéas.

Claude Monet l'a fait construire spécialement en 1916 pour y réaliser ses toiles gigantesques consacrées aux Nymphéas et offertes à la France en 1922. Tous les panneaux de cette série sont exposés en permanence dans une salle spécialement aménagée au musée de l'Orangerie à Paris.

Sur les murs, vous découvrez les reproductions, à l'identique, de plusieurs tableaux du maîtres dont *Le déjeuner sur l'herbe, Soleil couchant sur la Seine, Femmes au jardin* et plusieurs grands *Nymphéas*.

2 - La basse cour

La famille Monet appréciait les volailles et les oeufs frais. Pour évoquer cette vie rurale, quelques animaux de basse cour occupent toujours cet endroit protégé.

3 - La maison

La maison est ouverte à la visite. Grâce à ce livret, elle n'aura plus aucun secret pour vous.

4 - Le clos normand

Les jardins ont été soigneusement reconstitués à l'identique à l'aide des cahiers des jardiniers de Claude Monet et après avoir recueilli les témoignages de ceux qui y avaient travaillé ou qui pouvaient apporter des précisions techniques.

Pour réussir cette entreprise, M. Van der Kemp a fait appel à M. Gilbert Vahé, jeune diplômé de l'école d'horticulture française, qui aujourd'hui encore, veille avec soin sur le respect de ce que Claude Monet appelait sa plus belle oeuvre, un tableau à même la nature.

En empruntant les allées qui vous conduisent vers le bassin au nymphéas, vous découvrez toutes les fleurs, les vivaces et les annuelles ou bisannuelles qui font la richesse de ce jardin immortalisé chaque année par des millions de photographies.

1 - The Water Lily studio

Access to the gardens is through the Foundation's boutique, housed in the water lily studio.

Claude Monet had the studio built in 1916 specifically to work on his gigantic canvasses devoted to the water lilies and offered to his country in 1922. All the panels in this series are on permanent exhibition in a specially designed room at the Musée de l'Orangerie in Paris.

On the walls, you will discover identical reproductions of a number of the master's works including Déjeuner sur l'Herbe (the Picnic), Sunset on the Seine, Women in the Garden and several of the big Water Lilies.

2 - The Farmyard

The Monet family appreciated good poultry and fresh eggs. This rural way of life is evidenced by the farmyard animals that live today in this protected spot.

3 - The house

The house is open to visitors. Thanks to this booklet, it will no longer keep any secrets from you.

4. The Walled Norman Garden

Using the notebooks of Monet's gardeners and the eye-witness accounts of those who worked in them and could give technical advice, the gardens have been carefully restored so as to be identical to the originals.

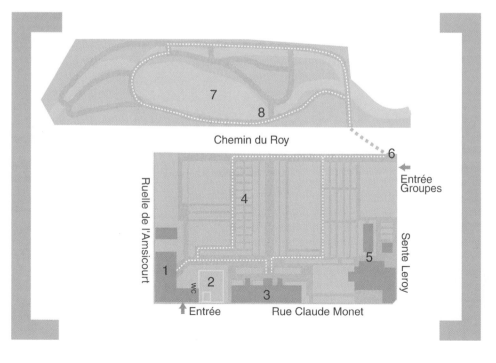

5 - L'atelier et les serres

Dans l'angle du jardin opposé à l'atelier des nymphéas se trouve le second atelier qui abrite aujourd'hui l'administration de la Fondation. Juste à côté, les serres sous lesquelles les jardiniers préparaient, et préparent toujours, les plantes qui orneront les massifs et les jardins.

6 - Le passage souterrain

A l'origine, la route départementale qui traverse Giverny n'était qu'un petit chemin d'où son nom, le chemin du Roy. En bordure de ce chemin se trouvait la voie ferrée reliant Vernon à Gisors et empruntant toute la vallée de l'Epte. Pour accéder au bassin aux Nymphéas, Monet traversait ce chemin et la voie ferrée. Aujourd'hui, par mesure de sécurité et grâce à la générosité de M. Walter H. Annenberg, un passage souterrain a été construit. Il se trouve en bas à droite du Clos Normand, juste à côté de l'entrée des groupes.

7 - Le bassin aux nymphéas

En détournant artificiellement un bras de l'Epte, Claude Monet a alimenté son bassin dans lequel il a fait pousser ses premiers nymphéas.
Cette initiative, contestée par les Givernois, nous a valu la naissance des séries consacrées à cette fleur qui est devenue le logo de la Fondation.

To succeed in this, Mr Van der Kemp called on Mr Gilbert Vahé, a young graduate of the French horticultural school who, still today, ensures that respect is paid to what Monet himself called his best work, a painting of nature. Using the pathways that take you to the water lily pond, you will discover all the flowers, the perennials and the annuals which make up the richness of this garden immortalized each year in millions of photographs.

5 - Studio and the green-houses

In a corner of the garden just opposite the water lily studio is a second studio which today houses the administration of the Monet Foundation. Next door are the green-houses in which the gardeners prepared and still prepare today the plants which decorate the beds and gardens.

6 - The underground passage

Originally, the road that runs through Giverny was only a small path: hence its name, the "path of the king", or "Chemin du Roy".
Along this path lay the railway linking Vernon to Gisors and following the valley of the Epte river. To get to the water lily pond, Monet crossed this path and the railway

8 - Le pont japonais

La passion de Claude Monet pour le Japon et ses artistes l'a poussé à faire construire un pont japonais pour traverser son bassin.

Plusieurs fois peint par le maître mais aussi par ses contemporains, ce pont japonais est aujourd'hui le décor naturel de photos souvenirs, de famille et de mariage.

Depuis l'ouverture de la propriété au public, des millions de visiteurs mais aussi de grands personnages, des chefs d'états et des artistes de renom ont été photographiés sur ce pont recouvert de glycines.

line. Today, for security reasons and thanks to the generosity of Mr Walter H. Annenberg, an underground passage has been built. It can be found at the bottom right hand corner of the walled Norman garden, just next to the group entrance.

7 - The Water Lily Pond

By diverting the course of a tributary of the Epte river, Claude Monet fed the pond in which he grew his first water lilies. This initially controversial scheme resulted in the birth of the series dedicated to this flower which has become the logo of the Foundation.

8 - The Japanese bridge

Claude Monet's passion for Japan and its artists lead him to build a Japanese bridge across his pond. Painted several times by the master but also by his contemporaries, this Japanese bridge today provides a natural setting for souvenir, family and wedding photographs.

Since the property was opened to the public, millions of visitors including notables, heads of state and renowned artists have been photographed on this wisteria covered bridge.

La maison de Claude Monet

Claude Monet's house

La visite de la maison où vécut Claude Monet de 1883 à 1926 se fait dans un silence respectueux. Il y est interdit de photographier et de filmer.

Après avoir apprécié l'harmonie du crépi rose et des volets verts, vous entrez par la porte principale.

1 - L'entrée

Cette pièce centrale permettait d'accéder soit à la salle à manger soit aux salons, soit aux chambres. Notre visite nous conduits à gauche vers les salons.

A visit to the house in which Claude Monet lived from 1883 to 1926 should be done in respectful silence. Photographs and film of the interior is not permitted.

Once you have enjoyed the harmony of the pink rough-cast render and the green shutters, enter by the main doorway.

1 - The entrance

This central room led to either the dining room, the living rooms or the bedrooms. Our visit takes us left to the living rooms.

2 - Le salon bleu

C'était un petit salon de lecture. Les meubles, tous authentiques, ont été restaurés et remis dans les teintes d'origine. Les estampes japonaises qui ornent les murs sont celles, authentifiées par un expert, que Monet avait collectionnées entre 1871 et 1926. Dans la plupart des pièces de la maison, on trouve des oeuvres signées Hiroshige, Kôrinogata, Kuniyoshi, Utamaro, Sharaku, Hokusaï, Toyokuni et leurs contemporains. Prenez le temps d'admirer la précision des motifs et l'ambiance des scènes évoquées par les artistes.

3 - L'épicerie

Nous sommes à la fin du XIXé siècle et le "garde manger" ou l'épicerie sont les seuls moyens de conserver les aliments et de prévoir les repas à venir. Cette entrée était celle que Monet utilisait le plus souvent car elle lui permettait d'accéder soit à son atelier, soit directement à l'étage.

2 - The blue room

This was a small reading room. The furniture, all authentic, has been restored in its original colors.
The Japanese engravings that decorate the walls are those, certified by an expert, that Monet collected between 1871 and 1926. In most of the rooms of the house, we find engravings signed by Hiroshige, Kôrinogata, Kuniyoshi, Utamaro, Sharaku, Hokusaï, Toyokuni and their contemporaries. Take the time to admire the precision of the designs and the atmosphere of the scenes evoked by these artists.

3. The grocery storeroom

At the end of the 19th century, the meat safe or grocery storeroom was the only means of preserving foodstuffs and planning meals. This entrance was used frequently by Monet for it also allowed him direct access to either his studio or to the first floor level of the house.

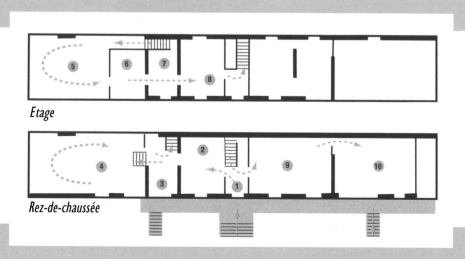

Etage

Rez-de-chaussée

4 - The studio living room

It is here that Monet worked and where he liked to rest, contemplating his canvasses hung on the walls around him. Always critical, he studied each work so as to be able to add the last touch needed for perfection. Thanks to the efforts of the Monet Foundation, stunning full-size reproductions clothe the walls.

Under each reproduction can be found notes on the title of the work, the date of creation and the place in which the original is exhibited. You will see before you all the most famous works by Monet including Saint-Lazare Station, Impression Sunrise, Poppies at Argenteuil, The Reader, Rue Montorgueil, the Pool at Argenteuil, the Beach at Pourville, Monet's Garden at Vétheuil, the Magpie...

You can also admire the portrait signed Auguste Renoir and titled Monet painting in his garden at Argenteuil.

Leave this room and go up to the next level using the staircase decorated with Japanese engravings.

4 - L'atelier salon

C'est ici que Claude Monet travaillait et qu'il aimait se reposer, contemplant ses toiles accrochées aux murs. Toujours critique il étudiait chacune d'elles pour leur apporter la dernière touche nécessaire à la perfection. Grâce aux efforts de la Fondation Monet, des reproductions saisissantes permettent aux visiteurs de retrouver la plupart des oeuvres du maître en tailles réelles. Sous chaque reproduction sont indiqués le titre de l'oeuvre, sa date de création et le lieu où est exposé l'original. Devant vous sont réunies les toiles célèbres de Monet dont *La gare Saint-Lazare*, *Impression soleil levant*, *Les coquelicots*, *La liseuse*, *La rue Montorgueil*, *Le bassin d'Argenteuil*, *La plage à Pourville*, *Le jardin de l'artiste à Vétheuil*, *La pie...* On peut aussi admirer le tableau signé Auguste Renoir et intitulé *Monet peignant dans son jardin à Argenteuil*.

Quittez cette pièce et accédez à l'étage de la maison par l'escalier lui aussi orné d'estampes japonaises.

5 - La chambre de Claude Monet

C'est ici que s'est éteint Claude Monet le 5 décembre 1926, épuisé par les suites douloureuses de l'opération de son oeil droit. Monet aura donc passé 43 ans à Giverny dans ce décor exceptionnel.

Les meubles sont d'origine, restaurés et remis en valeur. Trois tableaux, sélectionnés par le maître, décorent la pièce. Il s'agit de *Les meules* de Blanche Hoschedé-Monet (fille d'Alice et épouse de Jean Monet, le fils aîné de Claude), *Portail au cerisier en fleurs* de Théodore Butler (artiste américain, mari de Suzanne puis de Marthe, les filles d'Alice) et *Alice dans le sentier* de Lilla Cabot Perry (artiste américaine, voisine des Monet).

Le bureau en marqueterie est tout simplement remarquable tout comme la commode ancienne. Des fenêtres de sa chambre, Claude Monet avait une vue dominante sur le jardin. On peut y photographier le Clos Normand et l'allée centrale.

5 - Claude Monet's bedroom

It is here that Claude Monet passed away on December 5, 1926, exhausted by the painful aftermath of the operation on his right eye. Monet had spent 43 years in Giverny in this exceptional environment.

The furniture is from the original estate, restored and embellished. Three paintings, selected by the master, decorate the room: Haystacks by Blanche Hoschedé-Monet (daughter of Alice and wife of Jean Monet, the eldest son of Claude), Gateway to the cherry tree in bloom by Theordore Butler (American artist married to Suzanne and then to Marthe, the daughters of Alice) and Alice in the Lane by Lilla Cabot Perry (American artist and Monet's neighbor). The inlaid desk is remarkable as is the antique chest of drawers. From the windows of his bedroom, Claude Monet had a view that dominated the garden. You can photograph the Clos Normand - or Walled Norman Garden - and the central pathway from this window.

6 - Le cabinet de toilette de monsieur

Dans le prolongement de la chambre se trouve le cabinet de toilette de Claude Monet.

7 - Le cabinet de toilette de madame

Nous quittons les appartements de Claude Monet pour entrer dans le cabinet de toilette d'Alice, sa seconde épouse. La coiffeuse est elle aussi identique, placée à l'endroit même qu'Alice l'utilisait.

8 - La chambre à coucher d'Alice

Le décor est sobre et reposant. Observez sur la cheminée la photo d'Alice. Elle est signée Nadar, le célèbre photographe et ami personnel de la famille. La maison de Giverny recevait tout ce que la France comptait de personnalités.

Au même étage mais fermées à la visite, les chambres des enfants et d'autres pièces à usage domestique. Empruntez l'escalier pour vous rendre dans la salle à manger.

9 - La salle à manger

Etonnante par ses tons jaunes et son aménagement, la salle à manger pouvait accueillir de grandes réceptions puisque la table peut accueillir sans effort quatorze convives. A cette table ont été reçus les plus grands artistes français et américains de cette époque.

Dans les armoires vitrées, la vaisselle bleue et blanche qu'affectionnait Claude Monet. Dans l'angle, posé sur un présentoir, un chat en porcelaine offert par Signac au maître de l'impressionnisme.

6. Monsieur's dressing room

The bedroom leads into Claude Monet's dressing room.

7 - Madame's dressing room

We leave Claude Monet's apartment to move into the dressing room of Alice, his second wife. The dressing table is original and placed at exactly the same spot at which Alice used it.

8. Alice's bedroom

The decoration is plain and restful. Notice the photo of Alice on the mantelpiece. It is signed by Nadar, the famous photographer and personal friend of the family. The house in Giverny received most of the French high society.

On the same floor but not open for visitors are the children's bedrooms and other domestic rooms.

Take the staircase to get to the dining room.

9 - The Dining room

Astonishing with its shades of yellow and its layout, the dining room was used for grand receptions as the table could easily seat 14 diners. At this table dined the greatest French and American artists of the era.

In the glass-fronted cupboards is the yellow, blue and white dining service that Monet so liked. In the corner on a display shelf sits a porcelain cat, a gift from Signac to the master of impressionism.

10. The kitchen

The visit to Monet's house finishes with the kitchen. It too is like no other. The shades of blue are impressive. The set of copper saucepans come from the original estate and are carefully polished by the foundation staff.

The oven, the sink and the kitchen table are all on a scale suited to the room's capacity to welcome guests.

10 - La cuisine

La visite de la maison s'achève par la cuisine. Elle aussi est comme aucune autre. Ses tons bleus sont impressionnants. La série de cuivres est d'origine et soigneusement entretenue par le personnel de la fondation. Le fourneau, l'évier et la table de cuisine sont à l'échelle de la capacité à recevoir les convives.

Plan du Village

Hôtel Baudy

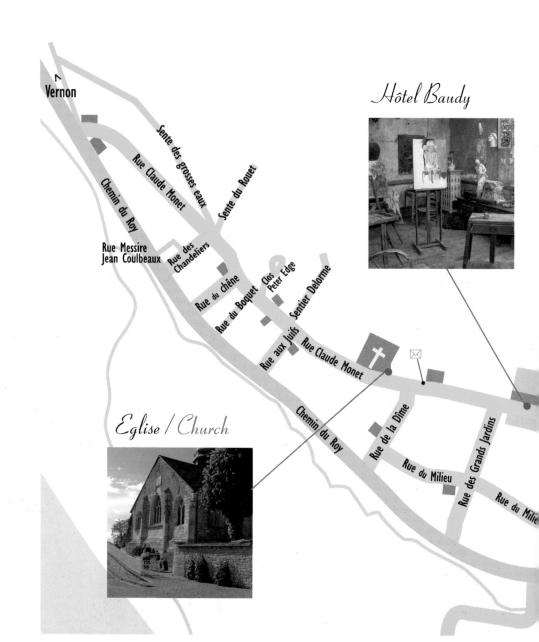

Vernon

Sente des grosses eaux

Rue Claude Monet

Chemin du Roy

Sente du Rouet

Rue Messire
Jean Coulbeaux

Rue des
Chandeliers

Rue du chêne

Rue du Boquet

Clos
Peter Edge

Sentier Delorme

Rue aux Juifs

Rue Claude Monet

Chemin du Roy

Rue de la Dîme

Rue du Milieu

Rue des Grands Jardins

Rue du Milie

Eglise / Church

Village Map

Musée d'Art Américain
American Art Museum

Maison et jardins
Claude Monet

House and gardens
Claude Monet

Chemin du grand val

Chemin Blanche Hoschedé Monet

Rue Hélène Pilon

i

P

P

P

BUS

Rue du Pressoir

Sente Leroy

Chemin du Roy

P

Ruelle de
L'Amsicourt

Rue du Château d'eau

Chemin des Mayeux

L'Epte

Rue Falaise

Fourges >

La Roche Guyon >

Paris >

Le temps des fleurs

The Season for Flowers

Gilbert Vahé, le chef jardinier de la Fondation Monet est formel "Il n'y a pas de calendrier des fleurs visibles dans les jardins de Claude Monet pour la simple raison que la nature n'en fait qu'à sa tête et rythme elle-même les floraisons de l'ensemble".

Monsieur Vahé et ses collaborateurs veillent quotidiennement sur chaque partie des jardins et du bassin aux nymphéas.

En début de saison, les perce-neige, les crocus et les narcisses annoncent l'arrivée du printemps et avec lui la poussée des bulbeuses, les tulipes de toutes espèces, des simples hâtives aux fleurs de lys, les fritillaires et les ails décoratifs.

Chaque jour, le jardin est conforme au souhait de Claude Monet qui en avait fait un tableau vivant puisque les tulipes vont évoluer comme les azalées, les rhododendrons et les iris offrant le spectacle inlassable de leur jeu de couleurs.

Le tout va être renforcé par la présence des juliennes, des pivoines,

des myosotis et des pavots. Les semaines qui vont suivre vont voir l'épanouissement des glycines et la floraison des vivaces qui sont, en quelque sorte, le squelette du jardin autour duquel les jardiniers plantent les annuelles et les bisannuelles. Peu à peu les lupins, les coquelicots, les delphiniums, les phlox et les œillets de toutes espèces vont atteindre leur maturité. Les iris d'eau garnissent les bords de l'étang en mai et juin tandis que devant la maison, les géraniums remplacent les tulipes et les myosotis.

Puis avec l'arrivée de l'été, le jardin prendra un autre visage avec la poussée des capucines qui courent dans l'allée centrale et des roses trémières qui garnissent les allées. Le clos normand offre

tout son espace aux pois de senteurs, aux gentianes, aux sauges et aux giroflées sans oublier les innombrables roses.

Fin août, les premiers dahlias, les asters, et les anémones recouvrent les parterres tandis que, selon les années, les glycines nous offrent une seconde floraison. Dans le jardin d'eau, les vedettes se font attendre.

"Il n'y a pas de date précise pour les nymphéas. Il faut une eau à seize degrés pendant un mois pour que la fleur pousse et atteigne sa maturité. Là encore, l'homme doit respecter la nature." Pour toutes ces raisons, le jardin de Claude Monet peut être visité à différentes périodes de l'année ce que ne manquent pas de faire les amateurs.

Gilbet Vahé, head gardener at the Monet Foundation is categorical: "There is no calendar for the flowers seen in Claude Monet's gardens for the simple reason that nature does as it wishes and sets the rhythm for the blooming of the whole."

This man, together with his team of workers, watches daily over each section of the gardens and the water lily pond. At the start of the season, the snowdrops, the crocus and the daffodils announce the arrival of Spring and with them blossom the bulbs; tulips of all kinds, fritillaria and decorative garlic plants. Each day, the garden obeys the wishes of Claude Monet who turned it into a living painting with tulips evolving alongside azaleas, rhododendrons and irises, all offering an unfailing display of color.

All this is intensified by the presence of the stocks, the peonies, the forget-me-nots and the poppies. The following weeks will see the blossoming of the wisteria and the flowers of the perennials which are, in a way, the backbone of the garden around which the gardeners plant the annuals and the bi-annuals. Little by little, the lupins, the corn poppies, the delphiniums, the phlox and carnations of all sorts will reach maturity. The water irises grace the banks of the pond in May and June whilst in front of the house, the geraniums repla-

ce the tulips and forget-me-nots. Then, with the arrival of summer, the garden takes on a different aspect with the growth of the nasturtiums that tumble over the central pathway and the hollyhocks than adorn the lanes. The walled garden offers a haven for the sweet peas, the gentians, the sage and the wall flowers not forgetting the innumerable roses. At the end of August, the first dahlias, the asters, and the anemones cover the flower beds whilst in some years, the wisteria provides a second blossoming.
In the water garden, the stars keep us waiting. "There is no precise date for the water lilies. They need water at sixteen degrees for an entire month for the flower to grow and reach maturity. There again, man must respect nature."
For all these reasons, the garden of Claude Monet can be seen at different times of the year, something that never fails to win admirers.

Ancien hôtel Baudy

Former hotel Baudy

Au 81 rue Claude Monet découvrez l'ancien hôtel Baudy. Face à l'établissement la terrasse ombragée accueillait les artistes américains, la famille Monet et leurs amis.

En contrebas, on retrouve l'emplacement des courts de tennis construits pour divertir les membres de la colonie américaine. Comme en témoignent certains tableaux de la Terra Foundation for the Arts, on ne s'ennuyait pas à l'hôtel Baudy. De jeunes et jolies femmes portant d'élégants chapeaux ou protégées par de ravissantes ombrelles assistaient aux rencontres tout en dégustant des pâtisseries et des boissons préparées par Angélina et son personnel.

At 81 Rue Claude Monet, discover the former hotel Baudy.

Opposite the hotel, the shady terrace was once the watering place for American artists, the Monet family and their friends.

Below the terrace, you can still see the former site of the tennis courts built to amuse the members of the American colony. Several of the paintings in the collection of the Terra Foundation for American Art show that the guests at the hotel Baudy were rarely bored. Young and pretty women wearing elegant hats or protected by ravishing sunshades savoured pastries and drinks prepared by Angélina and her staff whilst watching the matches.

Next to the terrace, the Baudy family owned a vegetable patch in which they grew the fruit and vegetables necessary to feed their guests.

As you enter the building, make a note of the authenticity of the interior. Nothing seems to have changed in more than a century without, however gaining a speck of dust or a wrinkle. The

voile de poussière. La buvette est telle que l'ont connue Monet et ses amis lorsqu'ils se retrouvaient aux tables pour débattre du talent des uns et des autres.

A droite, l'ancienne épicerie a laissé place à une salle à manger accueillante et sobre.

A l'opposé, la salle à manger telle qu'Angélina Baudy l'avait aménagée. C'est là, près du gros poêle et au son du piano bastringue, que les artistes prenaient leur repas et présentaient leurs œuvres. Aux murs étaient accrochés les tableaux en attente d'un acquéreur ou déposés en gage pour une facture impayée.

A côté de la terrasse se trouvait le potager que les Baudy avait acheté pour produire les fruits et légumes nécessaires à la préparation des repas des pensionnaires.

En entrant dans l'établissement, remarquez l'authenticité du lieu. Rien ne semble avoir bougé en un siècle sans pour autant prendre une ride ou un

bar is just as it was in Monet's time when he and his friends gathered at the tables to argue about the relative merits of their fellow artists.

To the right, the former grocery store has been turned into a dining room, calm and welcoming. On the opposite side is the dining room, exactly as Angélina Baudy had furnished it. It's here, next to the big stove and to the sound of the player piano that the artists dined and presented their work. Paintings were hung on the walls, waiting for a buyer or held as a pledge for an unpaid bill. Mrs Baudy adapted easily to the lifestyle of her guests

and became the agent of paint and art equipment merchants. Soon, art dealers began to frequent the dining room which was readily converted into a gallery or a sales room. Behind this room you will find a corner of paradise. Having crossed the small room that is used as a storeroom, you enter the courtyard. On your right, the former barns were converted into bedrooms and, a ballroom was installed on the ground floor so that talented artists could perform at the end of each week. Having climbed the staircase in sculpted cement, you will enter the studio built in 1887. It's here that numerous

Mme Baudy avait su s'adapter à ses hôtes et elle devint dépositaire des marchands de couleurs et de matériels. Bientôt, les marchands d'arts allaient devenir des habitués de cette salle à manger qui, selon les occasions, pouvait être une salle d'exposition ou bien encore une salle des ventes.

C'est à l'arrière de cette salle que se trouve le coin de paradis. Après avoir traversé la petite pièce qui sert de remise, vous accédez dans la cour. Sur votre droite, les anciennes granges avaient été trans- formées en chambres et au rez-de-chaussée se trouvait une salle de bal où des artistes talentueux se produisaient en fin de semaine. Après avoir gravi l'escalier en ciment sculpté, vous allez entrer dans l'atelier construit dès 1887. C'est ici que de nombreuses toiles débutées en exté- rieur étaient achevées par les artistes. Cet atelier est le seul de cette époque qui a été conservé en état. Sur les tables on retrouve les paquets de pigments de couleurs que les artistes se faisaient livrer sur place.

Dans le jardin, vous serez surpris par la richesse de la roseraie. A la fin du XIXé siècle, la mode des jardins d'agrément bat son plein. Les catalogues de fleurs et plantes font leur apparition alors, les artistes, influencés par Claude Monet se piquent au jeu. Chacun apporte sa contribution au gré de ses déplacements et bientôt, l'ancienne friche de vignes devient un remarquable jardin à niveaux. Ce cadre inspirera plusieurs artistes et sera propice aux rencontres plus romantiques.

works begun in the open air were completed by their creators. This studio is the only one of its period to have been preserved. On the tables, you will see the packets of colored pigments that the artists had delivered. Outside, you will be surprised by the richness of the rose garden. Towards the end of the 19th century, the pleasure garden was at the height of its popularity. Plant and flower catalogues began to appear and, influenced by Claude Monet and his garden nearby, the younger artists joined in the game. Each of them brought back a contribution from his travels and soon the former neglected vineyard became a remarkable tiered garden. This setting inspired several of the artists and was also a favourite spot for romantic encounters.

Musée d'Art Américain

American Art Museum

La présence d'un musée d'art américain à Giverny n'est pas due au hasard.

A la fin du XIXè siècle, une importante colonie de jeunes artistes américains s'installa à Giverny, d'abord en louant des chambres à l'épicerie-buvette qui devint l'hôtel Baudy puis en devenant locataires et propriétaires de maisons dans le village.

Etudiants aux Beaux-Arts à Paris, ces artistes aimaient retrouver la Vallée d'Epte en fin de semaine pour peindre directement au coeur de la nature.

A l'hôtel Baudy, dans les rues du village ou dans la campagne environnante, les Givernois côtoyaient Lilla Cabot Perry, Mary Cassat, Théodore Robinson, Carl Frieseke, Charles Courtney, James Abott McNeil, Theodore Earl Butler, Winslow Homer, Frederick William Mc Monnies et Willard Leroy Metcalf parmi

The existence of an American Art Museum in Giverny is not due to an accident.

At the end of th 19th century a numerus colony of young American artists setteled down in Giverny. At the beginning they rented rooms at the grocery witch further became the well-known Hotel Baudy. Later they rented or bought houses in the village.

Weekendly, after their studies at the " école des beaux arts " in Paris, they loved to visit the Epte valley to paint in the heart of french countryside.

At the Hotel Baudy, in the

les plus présents.
Cette "école givernoise" internationalement reconnue, fut la passion d'un homme hors du commun, Daniel J. Terra.
Petit-fils de lithographes italiens ayant émigré aux Etats-Unis, Daniel J. Terra fut l'inventeur d'un brevet sur un composé chimique qui permit de réduire le temps de séchage des encres d'imprimerie. L'exploitation de ce brevet au niveau mondial fit sa fortune et en 1937, Daniel J. Terra débute une impressionnante collection d'oeuvres d'artistes améri-

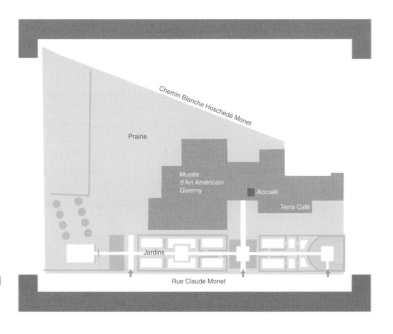

cains. Giverny y occupe une place de choix au point qu'après avoir inauguré le Terra Museum of American Art à Chicago, Daniel J. Terra décide la création du Musée d'Art Américain de Giverny. Depuis 1992, le musée met en valeur les relations culturelles franco-américaines en proposant des expositions exceptionnelles. Afin de renforcer les liens et les échanges culturels streets of Girverny or in the narrow contryside, the residents used to keep close to Lilla Cabot Perry, Mary Cassat, Théodore Robinson, Carl Frieseke, Charles Courtney, James Abot MacNeil, Theodore Earl Butler, Winslow Homer, Frederick William Mc Monnies, Willard Leroy Metclaf and many more.

This " Giverny school of the Arts " became the

Frederick Carl Frieseke. Femme dans un jardin. 1912

passion of an out of ordinary man, named Daniel J. Terra.

He was the grandson of Italian lithographs witch emigrated to the United States, he made fortune by his patent for a chemical process to reduce the drying time for printing inks.

Since 1937 he became a collector of numerous works painted by American Artists.

The works influenced by Giverny took such a big place in the Terra Foundation of the Arts in Chicago, he decided to create the American Museum of the Arts, in Giverny, France.

Since 1992, the museum highlights the American-French cultural relationship. So as in 2004 the exhibition called " Edward Hopper : The

Charles Courtney Curran. Lotus lilies 1888 © Terra Foundation for American Art

entre les deux continents, le Musée d'art américain propose des expositions temporaires, des colloques, des concerts, des conférences et des ateliers de création artistiques et des visites de maisons et jardins d'artistes. Fonctionnant sous l'égide de la Terra Foundation for the Arts, le musée accueille chaque été de jeunes artistes américains et français qui, profitant d'une bourse d'étude, peuvent poursuivre l'oeuvre entreprise par leurs aînés.

Le Musée d'Art Américain de Giverny est ouvert du mardi au dimanche du 1er avril au 1er novembre de 10h à 18h, sans interruption.

Paris Years" organised by the Whitney Museum of american art of New York. To reinforce the links and the cultural exchanges between the two continents, the American Art Museum suggests temporary exhibitions, conferences, concerts, workshops and also visits of artist's houses and gardens.

Operating under the cover of the Terra Foundation of the Arts, the Museum welcomes young American and French artists, they benefit of a grant to study in continuity of the works of their elders.

Demuth's. Rue du singe.

Petit-fils de lithographes italiens ayant émigré aux Etats-Unis, Daniel J. Terra (1911-1996) fut l'inventeur d'un brevet sur un composé chimique qui permit de réduire le temps de séchage des encres d'imprimerie. L'exploitation de ce brevet au niveau mondial fit sa fortune et en 1937, Daniel J. Terra débute une impressionnante collection d'œuvres d'artistes américains au point qu'il fut un jour nommé "Ambassadeur extraordinaire des Etats Unis d'Amérique, chargé des affaires culturelles" par le président Ronald Reagan. Giverny occupe une place de choix dans cette collection au point qu'après avoir inauguré le Terra Museum of American Art à Chicago en 1987, Daniel J. Terra décide la création du Musée d'Art Américain de Giverny qui ouvre ses portes en juin 1992.

Quatre ans plus tard, à la disparition de Daniel J. Terra, la Terra Foundation for the Arts a hérité de l'ensemble de cette collection à charge pour elle de poursuivre la mission de son initiateur : faire connaître l'art américain.

Daniel J. Terra

Grandson of Italian lithographers who had migrated to the United States, Daniel J. Terra (1911-1996) invented and patented a chemical compound that reduced the drying time for printing inks. The application of this patent worldwide lead to the creation of Terra's fortune and in 1937, he began an impressive collection of works by American artists that grew in importance to such an extent that Terra was named "Extraordinary ambassador for the United States of America in charge of cultural affairs" by President Ronald Reagan. Giverny played such a vital role in this collection that, having inaugurated the Terra Museum of American Art in Chicago in 1987, Daniel Terra decided to create the Musée d'Art Américain Giverny which opened its doors to the public in June 1992.

Four years later, on the death of Daniel J. Terra, the Terra Foundation for American Art inherited the entire collection and with it the responsibility of pursuing the mission of its founder: to foster the knowledge of American art worldwide.

La colonie américaine

The American Colony

Claude Monet s'est installé définitivement à Giverny en 1883. Dès 1887, l'artiste peintre américain Willard Leroy Metcalf (1858-1925) découvre à son tour ce petit village jusqu'à présent totalement inconnu. Souhaitant peindre dans la campagne normande, il descend en gare de Vernon et emprunte le train de la Vallée d'Epte en direction de Gisors pour se rendre à Giverny dont il avait aperçu la beauté des paysages par la fenêtre du train. Trouvant un cadre propice à la création artistique et une bonne table à l'épicerie-buvette Baudy.

The American Colony Claude Monet came to live in Giverny in 1883. In 1887, the painter Willard Leroy Metcalf (1858-1925) also discovered this little village previously almost entirely unknown. Wishing to paint in the Normandy countryside, he travelled by rail to Vernon and then took the Epte river valley train towards Gisors to get to Giverny whose lovely countryside he had been able to appreciate from the train windows. Finding a setting favorable to his work as an artist and good food at the grocery-refreshment

Metcalf indique Giverny à ses amis artistes américains inscrits comme lui à l'Académie Julian à Paris. La semaine suivante, c'est en compagnie de plusieurs autres artistes qu'il revient à Giverny et apprend que Claude Monet s'est installé ici. Dès lors, les artistes américains sont nombreux à venir planter leurs chevalets à Giverny ce qui, dans un premier temps, fâche le maître de l'impressionnisme qui finit par se lier d'amitié avec cette jeune génération.

Rapidement une colonie imposante d'artistes va s'installer à Giverny. Entre 1887 et 1940, ils auront été plusieurs dizaines à avoir travaillé plus ou moins longtemps à Giverny. Parmi eux : Théodore Robinson (1852-1896), Lilla Cabott Perry (1848-1933), John Leslie Breck (1860-1899), Louis Ritter (1854-1892), Théodore Wendel (1859-1932),Philip Leslie Hale (1865-1931), Dawson Dawson-Watson (1864-1939), Théodore Earl

stall of the Baudy family, Metcalf recommended Giverny to his American artist friends enrolled, as he was, at the Académie Julian in Paris.
The following week, in the company of several fellow American artists, he returned to Giverny and learnt that Claude Monet was settled there. From that time on, numerous American artists came to set up their easels in Giverny - an event that initially angered the master of impressionism who

ultimately befriended this young generation.
An imposing colony of artists rapidly settled in Giverny. Between 1887 and 1940, several dozens worked for a period of time in the village.
Amongst them were:
Théodore Robinson (1852-1896), Lilla Cabott Perry (1848-1933), John Leslie Breck (1860-1899), Louis Ritter (1854-1892), Théodore Wendel (1859-1932), Philip Leslie Hale (1865-1931), Dawson Dawson-Watson (1864-

Frederick Carl Frieseke. Madame Frieseke à la fenêtre de sa cuisine. 1912 © Terra Foundation for American Art

Butler (1861-1936), Thomas Buford Meteyard (1865-1928), Guy Rose (1867-1925), Mary Fairchild MacMonnies Low (1858-1946), Frederick Carl Frieseke (1874-1939), Richard Emil Miller (1875-1943), Louis Ritman (1889-1963), Robert Vonnoh (1858-1933), John Singer Sargent (1856-1925), Mary Cassat (1844-1926).

La présence de Claude Monet et de ces artistes américains à Giverny sera la raison de la venue de Renoir, Rodin, Cézanne et Sisley.

1939), Théodore Earl Butler (1861-1936), Thomas Buford Meteyard (1865-1928), Guy Rose (1867-1925), Mary Fairchild MacMonnies Low (1858-1946), Frederick Carl Frieseke (1874-1939), Richard Emil Miller (1875-1943), Louis Ritman (1889-1963), Robert Vonnoh (1858-1933), John Singer Sargent (1856-1925), Mary Cassatt (1844-1926).

The presence of Claude Monet and the American artists in Giverny also brought Renoir, Rodin, Cézanne and Sisley.

Les jardins du musée

The museum gardens

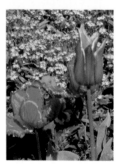

Le Musée d'Art Américain Giverny s'inscrit, à flanc de colline, dans la pente naturelle du terrain, avec une volonté de s'intégrer au paysage environnant. Conçu par l'architecte du musée Philippe Robert et réalisé par le paysagiste Mark Rudkin, le jardin se compose de parterres de fleurs monochromes séparés par des haies. D'un bout à l'autre du jardin - du bassin à la prairie de coquelicots - les chambres colorées se succèdent avant de laisser place au profil majestueux de la colline de Giverny, maintes fois représentée par les peintres impressionnistes. A l'entrée du musée, une treille couverte de glycine blanche, hommage au jardin de Claude Monet, accueille les visiteurs.

The Musée d'Art Américain Giverny is terraced into surrounding hills, following the natural slope of the land to blend harmoniously with the landscape. Conceived by the museum architect Philippe Robert and designed by landscape architect Mark Rudkin, the garden features monochrome flower beds separated by hedges. From one end of the garden to the other - from the pond to the field strewn with poppies - a series of colorful garden rooms lead visitors to the majestic profile of the Giverny hill, the setting for so many impressionist paintings. At the museum entrance, visitors are greeted by an arbour of white wisteria, a tribute to Claude Monet's garden next door.

Adresses utiles

Utiles adresses

**Fondation
Claude Monet**
84, rue Claude Monet
27620 Giverny
Tél. 02 32 51 28 21

**Musée d'Art
Américain Giverny**
99 rue Claude Monet
27620 Giverny
Tél. 02 32 51 94 65

**Ancien Hôtel
Baudy**
81, rue Claude Monet
27620 Giverny
02 32 21 10 03

Mairie
7, rue Blanche
Hoschede-Monet
27620 Giverny
02 32 51 28 22

Artistes
Atelier Muse,
Jacques Pellan,
1 rue Claude Monet
02 32 51 99 81

Galerie "Le coin
des artistes",
65 rue Claude Monet
02 32 21 36 77

Atelier de Boispréau,
Corinne Gelebert
69 rue Claude Monet

La petite galerie
Alain Brieu
81 rue Claude Monet
06 10 77 58 04

Christophe Démarez
62 rue Claude Monet
02 32 71 15 65

Claude Cambour
101 rue Claude Monet
02 32 21 11 19

Atelier Hans
107 rue Claude Monet
02 32 21 59 90

Danièle Thierry
121 bis rue
Claude Monet

Jacqueline Gougis
17 rue de Falaise
02 32 51 10 71

Gale Benett
4 chemin Blanche
Hoschedé-Monet
02 32 51 96 83

Restaurants
La Musardière
132 rue Claude Monet
02 32 21 03 18

Les Nymphéas
109 bis rue Claude
Monet
02 32 21 20 31

Terra Café,
99 rue Claude Monet
02 32 51 94 61

Ancien Hôtel Baudy,
81 rue Claude Monet
02 32 21 10 03

Les jardins de Giverny
Chemin du Roy
02 32 21 60 80

L'auberge du Vieux
Moulin,
21 rue de Falaise
02 32 51 46 15

La Bonne Etable,
9 rue de Falaise
02 32 51 66 36

La Grenouillère
13 rue de Falaise
02 32 51 23 59

La Terrasse
85 rue Claude Monet
02 32 51 36 09

Hôtel
La Musardière
132 rue Claude Monet
02 32 21 03 18

**Chambres d'hôtes
Bed and Breafast**
Le Moulin de
Chenevières
34 chemin du Roy
06 81 13 77 72

Au Bon Maréchal
1 rue du Colombier
02 32 51 39 70

Les Rouges Gorges
6 rue aux Juifs
02 32 51 02 96

Christine Cloos-
Ristich
87 rue Claude Monet
02 32 51 05 80

Le Coin des artistes
65 rue Claude Monet
02 32 21 36 77

Les chambres de
Georges
12 rue Claude Monet
02 32 54 19 30

Le Clos fleuri
5 rue de la Dîme
02 32 21 36 51

M et Mme Thérin
43 rue Claude Monet
02 32 51 70 58

Mme Etinault
5 rue du Chêne
02 32 51 36 42

Gîtes
Le Moulin de
Chenevières
34 chemin du Roy
06 81 13 77 72

Mme Exiga
69 rue Claude Monet
02 32 21 17 88

La Réserve
02 32 21 99 09

Services
Garage de Giverny
chemin Blanche
Hoschedé-Monet
02 32 51 28 14

Station service Berche
2 rue Claude Monet
02 32 51 28 49

Charcuterie Vauvelle
60 rue Claude Monet
02 32 51 28 29

Le Verger de Giverny
Chemin du Roy
02 32 51 29 36

Boutique Emilio Robba
109 bis rue Claude
Monet
02 32 51 99 71

Mairie
7 chemin Blanche
Hoschedé-Monet
02 32 51 28 22

Remerciements/ Spécials thanks to
Mme Claudette Lindsey, M. Gilbert Vahè, M. Laurent Echaubard et le personnel de la Fondation Claude Monet - M. Diego Candil, Mme Sophie Lévy,
Melle Géraldine Raulot, Mme Véronique Bossard, Mme Miranda Fontaine et le personnel du Musée d'Art Américain de Giverny - Floriane et Jean-
Charles Amuroso de l'ancien hôtel Baudy - L'ensemble des artistes et des professionnels de Giverny - L'office de tourisme communautaire de Vernon
et tous ceux qui, par leurs conseils et leur aide précieuse, ont participé à la publication de cet ouvrage.
"Editions Coline Julien". Aubert communication. 21 avenue Gambetta. BP 509. 27205 Vernon Cedex. Tél. 02 32 51 80 56.
Textes et photos : Olivier Aubert. Reproduction même partielle interdite. Impression : Corlet Imprimeur. 14 Condé sur Noireau.